Berliner Mauer Graffitis

Die Berliner Mauer ist Geschichte. Sie prägte mehr als 28 Jahre den Alltag der Berliner Bevölkerung in Ost und West und verschwand genauso plötzlich wie sie einst entstanden war. Mit ihr verschwanden auch die unzähligen Sprüche und Bilder die von einer engagierten Jugend aus aller Welt an die *längste Leinwand der Welt* – wie sie von den Graffiti-Künstlern schon bald genannt wurde – gesprüht, gemalt und gezeichnet wurden. Nur die Bilder von den Bildern bleiben und halten die Erinnerung an ein trauriges Kapitel der an Ereignissen so reichen Berliner Geschichte wach. Es waren die jugendlichen Künstler, die schon weit vor der physischen Realität die Mauer in den Köpfen auflöste und so die kommende Wirklichkeit vorwegnahmen.

Graffiti on the Berlin Wall

The Berlin Wall is history. For more than 28 years, it stamped everyday life of the people in East and West Berlin and then vanished as quickly as it once had been built. With the World's longest canvas – as it was called by the graffiti artists -, the innumerable maxims, epigrams and pictures sprayed, painted and sketched by the committed youth from all over the world disappeared as well. Only the pictures taken of those pictures will last as reminiscent of a sad story in the book of Berlin's eventful history. Long before the Wall physically vanished, the young artists erased the Wall from our mind thus anticipating future reality.

Les graffiti au mur de Berlin

Le mur de Berlin appartient à l'histoire. Pendant plus de 28 ans, il a donné son empreinte à la vie quotidienne des habitants de Berlin-Est et – Ouest. Puis il a disparu aussi vite qu'il avait été construit. Avec la disparition du mur, sont partis également les innombrables aphorismes et tableaux lancés, peints et dessinés par les jeunes engagés du monde entier sur la toile la plus longue du monde – comme il était appelé bientôt par les artistes des graffiti. Il ne nous reste que les photos des tableaux lesquelles rappellent un triste chapitre de l'histoire agitée de Berlin. Les jeunes artistes ont su bien en avance anticiper la future réalité physique en faisant disparaître le mur dans nos têtes.

Berlin, den
08/04/2001

Ein Stück
Geschichte für unsere
Freunde Eva und Loyd von
Inge und Gérard.

Raimo Gareis

Berliner Mauer

Die längste Leinwand der Welt

Raimo Gareis

Berliner Mauer

Die längste Leinwand der Welt

KRONE

Die Deutsche Bibliothek-CIP-Einheitsaufnahme

Berliner Mauer – Die längste Leinwand der Welt

1. Auflage 1998
© 1998 by Dieter Krone Verlag, D-42799 Leichlingen, Waldstraße 2a
Printed in Germany

Herausgeber: Dieter Krone, Leichlingen/Rheinland
Konzept: Dr. Raimo Gareis, Oberschützen/Burgenland
Layout, Satz und Gestaltung: Dr. Raimo Gareis, Oberschützen/Burgenland
Druck: Uhl-Druck, Radolfzell/Bodensee
Übersetzungen (englische und französische Texte): Heike Mihr, Leichlingen/Rhld.
Bildnachweis: Autorenporträt letzte Umschlagseite: Fritz Kempe/Hamburg,
Seite 18: Ausschnitt aus dem Falkplan Berlin, Ausgabe 1983/84,
alle anderen Bilder stammen vom Autor

ISBN 3-933241-04-9

Vorwort

um zehnten Male jährt sich 1999 der Tag der Öffnung der Berliner Mauer und in dessen Folge auch die Zeit, in der dieses verhaßte Sinnbild der kommunistichen Machthaber der DDR durch die vereinte Kraft er Berliner Bürger aus Ost und West in kürzester Zeit bis auf wenige zum Mahnmal umfunktionierte eilstücke verschwand.

Die Berliner Mauer war aber nicht nur eine fast nüberwindliche Trennwand zwischen den Menschen n Ost- und Westberlin. Sie wurde darüberhinaus zur berdimensionalen Wandtafel, auf der Menschen aus er ganzen westlichen – und manchmal auch östlihen – Welt ihre mehr oder weniger tiefgehenden Geanken beim Anblick dieses monströsen Bauwerkes undtaten. Entweder in oft kessen Sprüchen oder aber hit allen Mitteln zeitgemäßer Graffiti-Kunst.

Die Berliner Mauer war Zeit ihres Bestehens ein lynamisches Wesen. Sie veränderte nicht nur dauernd hre physische Gestalt, sondern entwickelte auch durch lie immer wieder wechselnden Bilder und Traktate chon bald ein – von den Erbauern sicher weder vorusgesehenes noch gewolltes – Eigenleben.

Dr. Raimo Gareis, ein international bekannter Fooraf, dokumentierte während seiner sporadischen ätigkeit in der Bundesdruckerei in Kreuzberg – dem Zentrum der Graffiti-Künstler – quasi nebenbei die Werke der so überaus kreativen Jugend der Welt. Jetzt werden in diesem Bildband die längst verwehten Spuren einer vergangenen Zeit noch einmal vor unseren Augen lebendig.

Dieter Krone

Preface

In 1999, we will celebrate the decennial of the Berlin Wall opening and in the sequel as well the joining of forces of both citizens of East and West Berlin to make vanish in no time this loathed symbol of communist GDR potentates. Nothing has been left but a few parts now serving a warning for future generations.

However, Berlin Wall was more than an unsurmountable wall separating people in East and West Berlin. It became as well the oversized blackboard on which people from all over the Western - and sometimes even the Eastern - world manifested their thoughts. Thoughts that were more or less profound, often expressed at the sight of this monstrous structure in saucy talk or in modern graffito art.

The Berlin Wall was always characterized by its dynamism. Not only that it continuously changed its physical shape but, more than that and surely neither foreseen nor intended by its builders, the permanently changing pictures and tracts bestowed soon individuality and personality.

Dr. Raimo Gareis, a photographer of international standing, dabbled at documenting the works of art showing the exhiliarating creativeness of the world's youth when now and then working in the Federal Printing Office in Kreuzberg - the centre of the graffiti artists. This pictorial book will bring back to us the long since blown remains of a bygone era.

Dieter Krone

Préface

En 1999, nous célébrerons le 10ième anniversaire de l'ouverture du mur de Berlin à la suite de laquelle les habitants de Berlin-Est et -Ouest réunirent leurs forces pour faire disparaître dans un clin d'oeil ce symbole détesté des tyrannes communistes de la RDA. Rien n'en est resté que quelques fragments servant de monument exhortant.

Le mur de Berlin ne fut seulement une cloison presque insurmontable pour les habitants de Berlin-Est et Berlin-Ouest. Il devint le tableau noir surdimensionné auquel les hommes du monde occidental - et parfois même du monde oriental - exprimèrent leurs pensées plus ou moins profondes stimulées à la vue de cette monstruosité. Ils s'en servirent soit des aphorismes piquants soit des outils modernes de graffiti.

Le mur de Berlin était toujours dynamique. Non seulement il changeait constamment sa physionomie physique mais encore se donnait une vie personnelle grâce au changement permanent de dessins et de traits - un phénomène sans doute ni prévu ni désiré par ses bâtisseurs.

Lors de son travail sporadique à l'imprimerie fédérale à Berlin-Kreuzberg, où d'ailleus était le centre des peintres de graffiti, le Docteur Raimo Gareis, un photographe de réputation internationale, a documenté „entre la poire et le frommage" les oeuvres des jeunes créatifs du monde entier. Ce volume de photographies ressuscitera les vestiges longtemps effacés du passé.

Dieter Krone

Einführung

Sonntag, der 13. August 1961, gilt als ein schwarzes Datum in der deutschen Geschichte. Der tägliche Flüchtlingsstrom von DDR-Bürgern nach West-Berlin schwoll von 1322 Personen am 01. August 1961 auf 1926 am 09.08.61 an. Wollte der DDR-Staat nicht seine Existenz aufs Spiel setzen, mußte er schnell handeln, um diesem Verlust an unersetzlichen Arbeitskräften ein Ende zu setzen. Der Staatsrat der DDR zog die Notbremse und ließ am 13. August die Grenze nach West-Berlin durch die Volksarmee zuerst mit Stacheldraht und vom 15.08.61 an mit Betonsteinen hermetisch abriegeln.

Die Berliner Mauer war entstanden. Sie war schon 1961 ein Zeichen für das Scheitern des *real existierenden Sozialismus*, so sehr sich auch die DDR-Führung bemühte, ihre Bürger vom Gegenteil zu überzeugen.

Für die Berliner Einwohner in Ost und West begannen gut 28 Jahre eines verschärften Inseldaseins zuerst praktisch mit der Unmöglichkeit des gegenseitigen Besuches, mit getrennten Familien- und Freundschaftsbanden.

Rückblickend kann man feststellen, daß auch diese – nach der Berliner Blockade 1948 – zweite Belastung der Nachkriegszeit von der Berliner Bevölkerung tapfer und bravourös bewältigt wurde. Im Laufe der Zeit meisterten die Berliner in ihrem unübertrefflich schnodderigen Humor auch die unmöglichsten Situationen.

Natürlich war der Mauerbau zuerst ein schwerer Schock für die betroffenen Menschen. Der Westen versuchte so gut es ging, eine Panik zu verhindern.

Introduction

Sunday, August 13th, 1961. A black and gloomy day in German history. The flood of GDR citizens escaping each day to West Berlin increased from 1322 persons on the first of August to 1926 on August 9th, 1961. Thus, either the GDR jeopardized its existence or had to react quickly to stop loosing its irreplaceable workers. Therefore, the GDR's Council of State decided to put on the brakes. On August 13th, the People's Army was to seal off the border to West Berlin first with barber wire and as from 15.08.61 with precast concrete blocks.

The Berlin Wall had been born. From the very beginning in 1961, it showed that *real socialism* was doomed to failure in spite of all the GDR rulers' struggling to convince their population.

Both the people in West and East Berlin were compelled to live for 28 years as islanders in strictest seclusion. They even were not allowed at first to see their families or friends on the other side of the border.

In retrospect, we feel that the Berlin people overcame this second post-war strain - following the Berlin blockade in 1948 - with bravery and courage mastering downright grotesque situations with their matchless cocky sense of humour.

It goes without saying that the Berlin Wall at first deeply shocked the people concerned. The West tried hard to prevent panic.

Introduction

Dimanche, le 13 Août 1961: ce jour-là est considéré comme une date néfaste dans l'histoire allemande. L'afflux des réfugiés s'échappant chaque jour de l'Allemagne oriental en Allemagne occidentale augmentait de 1322 personnes au 01.08.1961 à 1926 au 09.08.61. Alors, ou bien la RDA risquait son existence ou bien devait agir rapidement afin de mettre un terme à cette fuite inlassable de ses ouvriers irremplaçables. Le Conseil d'État de la RDA mit le frein de secours: au 13.08.1961, il donnait l'ordre à l'Armée Populaire de verrouiller la frontière à Berlin-Ouest d'abord avec du barbelé et à partir du 15.08.61 par des pierres en béton.

Ainsi naquit le mur de Berlin. En 1961 déjà, ce mur était le signe de l'échec du socialisme réal en RDA malgré les efforts de persuasion entrepris par ses dirigeants.

Pour les habitants de Berlin-Est et -Ouest une période de vie ,,insulaire'' austère commença qui devait durer plus de 28 ans. Au début il leur fut même défendu de visiter familles ou amis à l'autre côté de la frontière.

En rétrospective, la population de Berlin a fait preuve de son courage et bravoure en surmontant cette deuxième rude épreuve après-guerre. La première avait été le blocus de Berlin en 1948. Avec le temps, les Berlinois ont su vaincre bien de situations impossibles grâce à leur incomparable sens d'humour impudent.

La construction du mur sans doute choquait d'abord gravement les gens touchés. Le monde occidental faisait de son mieux afin de prévenir la panique.

Höhepunkt dieser Bemühungen war am 26. Juni 1963 der Besuch des Präsidenten der Vereinigten Staaten von Amerika, John F. Kennedy, der auf einer Massenveranstaltung der begeisterten Berliner Bevölkerung sein unvergeßliches *Ich bin ein Berliner* zurief und die Garantie der USA für ein freies West-Berlin beteuerte.

Die Berliner Bevölkerung begann sich in den folgenden Jahren langsam mit der Mauer zu arrangieren. Im Zuge des damaligen politischen Tauwetters vereinbarten die vier Besatzungsmächte, die sich nach wie vor für Berlin verantwortlich fühlten, vertragsmäßige Erleichterungen auch für den Besuch von West-Berlinern im Ostsektor der geteilten Stadt, der über speziell nur für die Berliner Bevölkerung geöffnete Grenzübergänge abgewickelt wurde. In der Folgezeit entwickelte sich ein ständig steigender Besuchsverkehr trotz dauernder kleiner Schikanen der Volkspolizei, für die besonders die nicht aus Berlin stammenden Volksarmisten berüchtigt waren.

Die Berliner Mauer war zu einem – im wahrsten Sinne des Wortes – festen Teil der Stadt Berlin geworden. Aber das bedeutete keinesfalls, daß man sich mit ihr abgefunden hatte. Vor allem die Jugend aus vielen Ländern der westlichen Welt suchte nach Wegen, ihren Protest gegen dieses Monstrum einer zunehmend hilfloser werdenden Diktatur auf friedliche Weise aber dennoch unübersehbar auszudrücken. Dafür gab es in den ersten Jahren an der Mauer direkt kaum eine Chance. Erst die DDR selbst forderte diesen Protest direkt an der Mauer in den Folgejahren heraus.

These efforts culminated on June 26th, 1963 when John F. Kennedy, US President, visited a mamoth gathering in Berlin carrying the flame of enthusiasm to the Berlin people when shouting his unforgettable „Ich bin ein Berliner" asserting the US guarantee of a free West Berlin.

In the sequel, people in Berlin slowly started to compound with the Wall. In the course of the then ruling political thaw, the four occupation forces - still feeling responsible for Berlin - contractually agreed upon easing as well West Berlin people's visit to the Eastern part of their separated city, controlling those visits at checkpoints only open to the population of Berlin. In the sequel, despite constant vexations from the Volkspolizei - above all the non-Berlin Vopos were notorious for keeping on at them -, the visitors' traffic constantly grew.

In the true sense of the word, the Wall had become a permanent and solid part of Berlin. However, that did not mean putting up with it. In particular the young from all over the Western world quested for peacefully but nevertheless plainly protesting against this monster of a dictatorial system which was constantly wasting away. During the first few years of its existence, protesting directly at the Wall had hardly been possible. It was the GDR in person who later on provoked these protests.

L'apogée de ces efforts était atteinte avec la visite du Président américain, John F. Kennedy, qui lors d'une assemblée populaire cria sa phrase inoubliable „Ich bin ein Berliner"- Je suis un Berlinois - à la population enthousiasmée, en protestant de la garantie des Etats Unis pour un Berlin-Ouest libre.

Dans les années suivantes, les Berlinois apprirent à s'arranger du mur. Au cours de la période de détente politique, les 4 occupants qui continuaient de se sentir bien responsables de Berlin également convenaient par contrat de rendre plus facile la visite des habitants de Berlin-Ouest au secteur est de leur ville séparée - ils devaient passer aux points de passage qui n'étaient ouverts que pour les Berlinois. Ainsi, malgré les chicanes plus ou moins ennuyantes des policiers populaires - surtout les Vopos non-Berlinois en avait la réputation -, l'afflux des visiteurs s'accroissait constamment.

Le mur de Berlin était devenu au pied de la lettre un élément solide de Berlin. Néanmoins, cela ne signifiait nullement qu'on s'y résigna. Avant tout les jeunes provenant de beaucoup de pays occidentaux cherchaient des moyens à protester de façon pacifique et en même temps absolument claire contre ce monstre qui symbolisait une dictature s'affaiblissant constamment. Au cours des premières années, il était quasi absolument impossible de protester directement au mur, c'étaient les dirigeants de la RDA eux-mêmes qui provoquaient ces protestations directes au mur dans les années suivantes.

Das Provisorium

The interim arrangement

Le provisoire

Wie diese Bilder – sie entstanden im Jahre 1962 – zeigen, haftete der Berliner Mauer in den ersten Jahren nach dem Mauerbau noch etwas Unfertiges, nicht auf längere Dauer Geplantes an. Das war sicherlich ein vorschneller Schluß. Die Mauer – einmal von der DDR in Angriff genommen – war von vornherein auf Dauer angelegt und nicht für den baldigen Abriß vorgesehen. Allerdings war sie nicht von langer Hand vorbereitet. Ausreichende Kapazitäten für die massenweise Herstellung von Betonbauteilen standen erst über zehn Jahre später nach der Errichtung spezieller Fabrikationsanlagen zur Verfügung.

As you can see from these pictures made in 1962, in the beginning there was something unfinished about the Wall as if not made to last. However, that would mean to jump to conclusions. Once the GDR set their hands on the construction, it was made to last and not designed for quick demolition, although it had not been planned well in advance. It took the GDR 10 years to provide specialized plants with a sufficient capacity for mass production of precast concrete components.

Ces photographies prises en 1962 montrent clairement que quelque chose de inachevé, non conçu pour faire long feu était inhérente au mur dans les premières années après sa construction. Une conclusion à la légère. Dès le début, après de s'attaquer à la réalisation du mur, la RDA l'aménagea à demeure ne prévoyant pas sa prochaine démolition. Toutefois, il est vrai, le mur n'était pas préparé de longue main. Seulement 10 ans plus tard, après l'installation des usines spécialisées dans la fabrication des pièces préfabriquées en béton, ils avaient à disposition des capacités suffisantes pour la fabrication en grandes séries.

Erst langsam entwickelte sich das Berliner Jahrhundertbauwerk zu seiner endgültigen Gestalt. Viele Jahre hindurch zeigte sich der Grenzbereich in einem chaotischen, dem kalten Krieg entsprechenden Zustand. Die Berliner Mauer wurde zur Touristenattraktion für Besucher aus aller Welt. So makaber es auch klingt, sie trug ganz wesentlich zum großen Erfolg des Werbeslogans *Berlin ist eine Reise wert* bei. Wo in der Welt konnte man schließlich so hautnah den Unterschied zwischen Menschen im freien Westen und den von einer Diktatur eingesperrten Einwohnern miterleben?

It was a long dull way for Berlin's most famous structure of the century to take its final shape. For many years, the border zone was a reflex of the chaotic cold war. The Berlin Wall became an attraction for tourists from all over the world. Life played a nasty trick on Berlin, however, it is true: without the Berlin Wall the slogan „Berlin ist eine Reise wert" (Berlin's worth a visit) would hardly have been of great success. After all, where if not in Berlin you could witness both at the same time: life in the free Western world and life within borders confined by dictatorship?

Petit à petit le mur - cette construction qui compte parmi les plus fameuses de notre siècle - prenait sa forme finale. Pendant bien des années, il se montrait dans un état chaotique marquant cette période de la guerre froide. Le mur devenait le clou de Berlin, attirant des touristes du monde entier. Il est vraiment macabre, mais le mur était un pilier important du succès de ce fameux slogan de publicité „Berlin ist eine Reise wert" - Visitez Berlin, elle en vaut la peine. En fin de compte, où sinon à Berlin était-il possible de voir „à bout portant" la différence entre la vie dans le monde occidental libre et la vie dans une dictature qui „encageait" son peuple?

Graffiti Straße

Anfang der 80er Jahre verbreitete sich ausgehend von den USA weltweit eine Ausdrucksform, die sich zeitgemäßer Malmittel bediente und ein unehelicher Sohn der guten alten Spritzretusche sein könnte. Mit dickem Filzschreiber für die Konturen und Farben in Spraydosen für die Flächen etablierte sich eine Technik, die der Jugend der 70er und 80er Jahre geradezu auf den Leib geschneidert zu sein schien. In Windeseile ließen sich flotte Sprüche und später auch grelle Bilder auf jede nur greifbare Betonwand sprühen. Immer hart jenseits des Randes der Legalität entwickelte sich aus einem anfänglichen Bürgerschreck eine neue Kunstform: die Graffiti-Malerei.

 ## Graffiti Lane

In the early 80s, a new „language" flashed from the USA across the world. Using modern tools of painting, it might have been the bastard child of the good old spray-brush retouching. This „language" which suited the young generation of the 70s and 80s to the Tee became generally accepted as a technique using felt-tip pens for the outline and atomizers to colour the planes. In a jiffy, the artists could spray their crispy maxims and later on shrill and brilliant pictures on each tangible inch of concrete wall. Thus, always slightly passing the verge of illegality, the former spectre of the upright citizen changed into a new form of art: graffito.

 ## La rue des graffiti

Au début des années '80, une forme d'expression partait des Etats Unis pour se propager dans le monde entier. Elle se servait des outils modernes de peinture et faisait croire qu'il s'agissait du fils naturel de la fameuse retouche à l'aérographe. C'était une technique qui utilisait des gros stylos feutre pour dessiner les contours et des couleurs en atomiseurs pour les surfaces. Une technique allant comme un gant pour les jeunes des années '70 et '80. Les aphorismes piquants et dans la suite les images criards s'appliquaient comme le vent à chaque paroi en béton à portée de la main. Toujours en franchissant un peu la limite du permis, „la terreur des bourgeois" était devenue une nouvelle forme d'art: les graffiti.

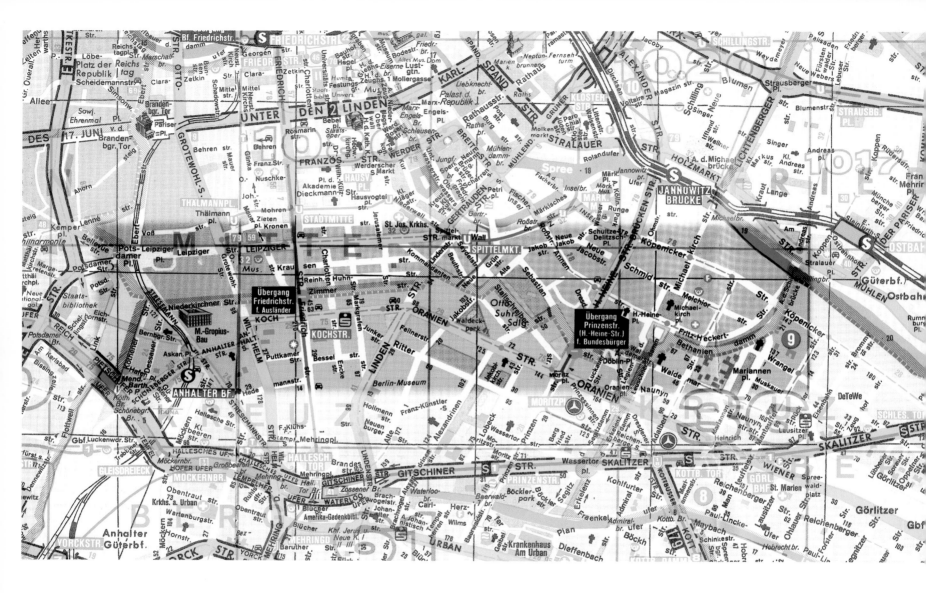

Die längste Leinwand der Welt

Es war nur eine Frage der Zeit, bis die Graffiti-Szene die neue Berliner Mauer aus oberflächlich leidlich glatten Betonplatten für ihre künstlerischen Ambitionen entdeckte. Die *längste Leinwand der Welt* – wie sie schon bald von den Graffiti-Künstlern aus aller Welt tituliert wurde – entwickelte ganz langsam eine Eigendynamik, die sie zum interessantesten Gesamtkunstwerk der 80er Jahre werden ließ. Sie besaß alle Attribute dieser Jahre des radikalen Umbruchs, in denen alle Maßstäbe einer vergangenen Zeit von Grund auf neu definiert zu werden schienen.

Alles begann mit den flotten, flapsigen, oft auch verschmitzt anzüglichen Sprüchen mit bisweilen leicht politischem Unterton, so wie sie in der Berliner Szene vor allem im Stadtteil Kreuzberg kreiert wurden. Wen wundert es da, daß gerade an dem Teil der Berliner Mauer, der Kreuzberg von Berlin Mitte trennte, die interessantesten Graffiti-Malereien auftauchten, übermalt wurden, verschwanden und in neuer Form wieder entstanden. Die Berliner Mauer begann zu leben und verlor mehr und mehr ihre monolithische Gestalt. Die vielen Künstler, die sich an der Mauer von Anfang an zeitlich begrenzt *verewigten*, waren die Ersten, die den Machthabern des Ostens deutlich machten, wie vergänglich ihr Bemühen um dauernde Abschottung einer halben Nation sein mußte.

Der nebenstehende Kartenausschnitt hebt die magischen 5 Km hervor, an denen vom Potsdamer Platz bis zur Spree die hervorstechendsten Meisterwerke einer friedlich protestierenden Jugend der freien Welt für kurze Zeit die Aufmerksamkeit auf sich lenkten.

 ## The World's longest canvas

It was only a question of time for the graffiti painters to discover that the new Berlin Wall made of precast concrete blocks offered a more or less smooth surface for their artistic ambitions. In no time, *the world's longest canvas* - as it was called by graffiti artists all over the world - slowly got its own dynamics and became the most interesting piece of art „tout ensemble" of the 80s. It had all characteristics of those years of radical change in which former standards seemed to be changed from top to bottom.

It started with the crispy, loutish, often rougish and risky maxims which from time to time were politically coloured as they were created in particular by the people of Berlin's Kreuzberg quarter. Small wonder that the most interesting graffiti appeared, were overpainted, disappeared and were recreated especially on that part of the Wall separating Kreuzberg from Mid Berlin. The Berlin Wall started to live and gradually lost its monolithic shape. Those artists who - right from the beginning - left their mark for a while on the wall were the first to demonstrate to the Eastern rulers that trying to isolate permanently half a nation was doomed to perish.

The opposite map will show you the magic 5 km - from Potsdam Square to the Spree - where the youth of the free world peacefully protested with their outstanding masterpieces shortly holding the world's attention.

 ## La toile la plus longue du monde

Il n'était plus qu'une question de temps pour la scène des artistes de graffiti à découvrir le mur de Berlin construit aux éléments en béton à surface suffisamment lisse pour y donner libre course aux ambitions artistiques. La toile la plus longue du monde - ainsi était il appelé par bien d'artistes de graffiti dans le monde entier - tout doucement développait un dynamisme propre le transformant en oeuvre globale la plus intéressante des années '80. Le mur possédait tous les attributs de cette époque caractérisée de la „révolution" radicale au cours desquelles les échelles et normes du passé semblaient être changées du tout au tout.

Cette évolution commençait avec les aphorismes piquants, chouets, souvent „culottés", parfois de couleur politique créés par la scène berlinoise avant tout au quartier de Kreuzberg. Rien d'étonnant au fait que les graffiti les plus intéressants apparurent, furent revouverts d'autres dessins, disparurent et naquirent en nouvelle forme notamment à cet endroit du mur qui divisait Kreuzberg du quartier Berlin-centre. Le mur de Berlin prenait de verve et perdait de plus en plus son aspect monolithe. Les nombreux artistes qui *s'y éternisaient* pour un certain temps étaient les premiers à prouver aux dirigeants à l'Est que leurs efforts d'isolation permanente de la moitié d'une nation devrait être passagers et condamnés à l'échec.

Le secteur montré dans la carte à côté nous indique les 5 km magiques - de la Place de Potsdam à la Spree - où la jeunesse internationale du monde libre qui protestait pacifiquement attirait l'attention par ses chefs-d'oeuvres dominants pour une courte période.

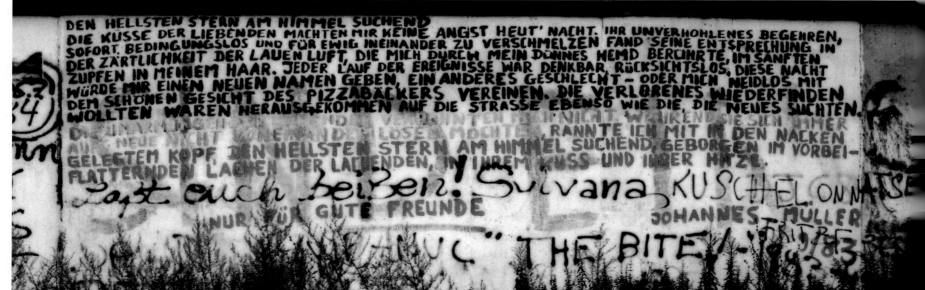

LES MOTS QUI PLEURENT SUR LES MURS
SONT DE MA RACE
SI JAMAIS VOUS LES EFFACEZ
LEUR SORTILÈGE RESTE
JE CRIE MES RATURES
SUR DES LAMBEAUX DE BÉTON
ENTRE LES MOTS
JUSTE CE QU'IL MANQUE
A L'ENVERS DE CE DÉCOR
POUR UN LEVER DE RIDEAU
DANS UN MUR D'IMPASSE
EN LETTRES SUSSURÉES A LA SAUVETTE
Versteh ich nicht! DENIS S.83

Wird Zeit,
daß wir Leben!
Geh erst mal arbeiten
Für Wen Denn ???

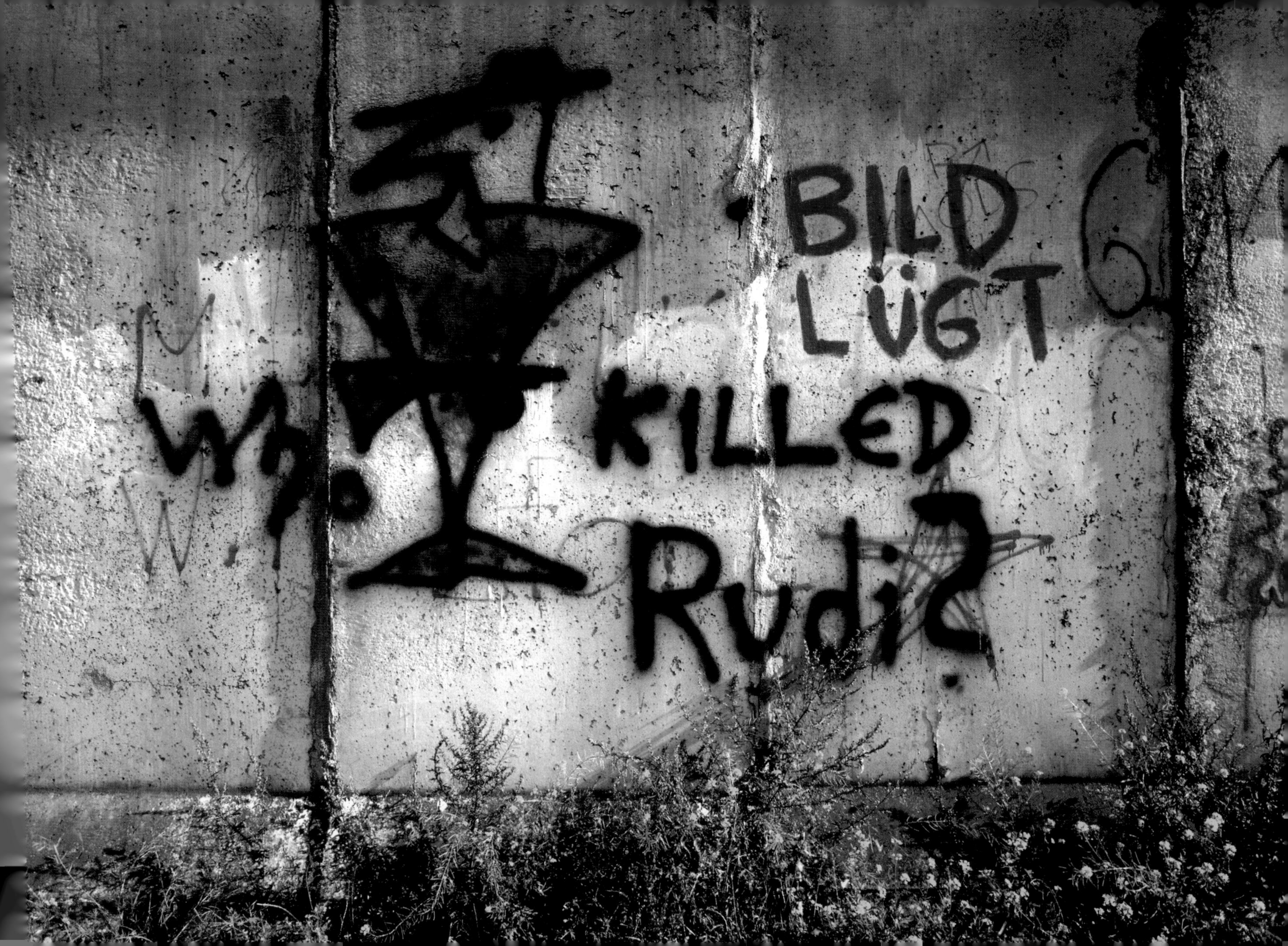

BILD
LÜGT
WHO KILLED
RUDI?

Thanks
to: Stefan
Lee & Gilbert
Shelton
FREAK
There is only
one reason
for art, to know
that you are alive
26.7.84
Scorpio

 ## Die Schattenmänner

 ## Shadows

 ## Les fantômes

Anfang der 80er Jahre begann als einer der ersten Maler der amerikanischen Pop-Szene George Hambleton die Berliner Mauer für seine schon in den USA berühmt gewordenen Schattenmänner zu entdecken. Seine Maltechnik war optimal für diese Aufgabe geeignet: Blitzschnell an die Wand gemalt entwickelten sich vor den Augen der wenigen Zuschauer schon aus der Ferne schemenhaft erkennbare Menschengestalten, die zum ersten Male Leben in die bis dahin so tote Betonmauer brachten.

In the early 80s, George Hambleton was one of America's first Pop painters who slowly discovered the potentials offered by the Berlin Wall for his shadows already famous in the USA. His technique was ideal for this project: the shadows painted in a jiffy on the wall in the witness of the scarce audience developed human contours which could be recognized already from the distance and for the first time animated this concrete wall up to then dull to death.

Au début des années '80, George Hambleton figurait parmi les premiers peintres américains de la scène de pop à utiliser le mur de Berlin pour créer ses fantômes déjà fameux aux Etats Unis. Sa technique y était parfaitement adaptée. Ces figures peintes comme le vent au mur se changeaient sous les yeux des quelques spéctateurs en figures humaines déjà perceptibles de loin qui - pour la première fois de son existence - ont donné de vie au mur autrefois si mort.

George Hambleton hatte seine Schattenmänner von Beginn an als einen Hintergrund für eine dynamische Weiterentwicklung konzipiert. Seine Idee, der Mauer durch das sich ständig veränderte Aussehen ein Eigenleben zu verpassen und sie dadurch vorder- und hintergründig dem Blick zu entziehen, sie praktisch *durch-sichtig* zu machen, begeisterte die kritische Jugend und forderte geradezu zur Nachahmung heraus. Nach den flotten Sprüchen und Aphorismen begann jetzt die Zeit der gemalten Protest-schreie.

From the very beginning, George Hambleton designed his shadows as a background of dynamic evolution. The critical youth went into raptures about his idea of continuously changing the Wall's face to give it a life of its own, hiding it apparently and subtly from our sight thus making it transparent. He invited them to emulation. The snappy maxims and aphorisms gave way to painted cries of protest.

Dès le début, George Hambleton avait ébauché ses fantômes comme base d'une évolution dynamique. La jeunesse fut enthousiasmée par son idée de changer constamment l'aspect du mur pour le donner une vie propre, le dérober à la vue de façon apparente et occulte, le donner un aspect quasi transparent, incitant les jeunes à l'imiter. Aux aphorismes et paroles piquants succédait une période de clameurs dépeintes.

 **Im Rausch der Farben**

Vor allem im Bereich rund um den Ausländerübergang Friedrichstraße – im Volksmund *Checkpoint Charly* genannt – feierte die Kreativität der Mauermaler schon bald nach der Umrüstung auf glatte Betonwände wahre Farborgien. Es war der Triumph der Vision über die Macht des Faktischen. Die zuerst Angst einflößende nackte Betonmauer war zur Pinwand der Ansichten und Gefühle einer ganzen Generation weiterentwickelt und dadurch ihrer ursprünglichen Bestimmung entzogen worden.

Auf den folgenden Seiten wird eine Auswahl dieser Werke vor allem aus dem Bereich zwischen Checkpoint Charly und dem Übergang Prinzenstraße für Bundesbürger vorgestellt.

 Exhiliarating colours

Soon after the Wall had been changed to smooth concrete blocks, the painters' creations let off real fireworks of colours - especially near the border crossing for foreigners on Friedrichstraße, the popular *Checkpoint Charly*. Vision triumphing over pure facts. The scaring baldness of the concrete wall became the blackboard on which a whole generation disclosed feelings and views, thus evading its initial purpose.

The following selection of works was photographed between Checkpoint Charly and the border crossing Prinzenstraße used by West German residents.

 La frénésie des couleurs

Peu de temps après la transformation du mur de Berlin en paroi lisse en béton, la creativité des artistes peintres faisait bamboche de couleurs surtout autour du point de passage „Friedrichstraße" prévu pour les étrangers- ce formidable *Checkpoint Charly* comme il était appelé par le peuple. La vision triompha des forces du réel. L'art changea ce mur en béton tout nu qui effrayait les gens d'abord en tableau d'affichage des avis et sentiments pour toute une génération, le détournant ainsi de sa destination initiale.

Ci-après nous vous présentons une sélection des oeuvres trouvés avant tout entre Checkpoint Charly et le point de passage „Prinzenstraße" prévu pour les citoyens fédéraux.

44

 ### Ulis Welt der Fantasie

Ein Höhepunkt der Malereien an der Berliner Mauer waren die schrillen Farb- und Formfantasien eines jugendlichen Künstlers, der seine Bilder mit UL! (das L dabei spiegelverkehrt!) signierte und der mit der Anzahl und Qualität seiner Bilder neben den Franzosen Charles Boucher und Terry Noir (deren Bilder ab Seite 58 zu sehen sind) zu den kreativsten und aktivsten Malern der Berliner Mauer zählt. Es war dieser Graffiti-Artist, der als erster die gesamte Mauerfläche samt der wülstigen Mauerkrone in eine Gemälde auf eindrucksvolle Weise einbezog und dadurch in Form, Farbe und Größe die mächtigsten Anlagen eines friedlichen und dennoch wirkungsvollen Protestes kreierte.

 ### Uli's universe of fancy

One highlight of painting on the Berlin Wall was set by the wild fancy world of colours and shapes created by a young artist who signed his paintings with ULI (with the L mirror-inverted). As to quantity and quality of his works of art, together with the French Charles Boucher and Terry Noir (see page 58), he ranked among the most creative and dynamic painters of the Berlin Wall. He was the first to benefit from the whole wall surface, including the swelling wall crest, to create in a peaceful and nevertheless efficient protest the mightiest accusals as to colours, size and shape.

Les visions de Uli

Le faîte des peintures au mur de Berlin était atteint avec les fantaisies en couleurs et formes criardes créées par un jeune artiste signant ses oeuvres UL! (avec L en miroir). Avec les Français Charles Boucher et Terry Noir (vous trouverez leurs peintures à la page 58 et suivantes), il compta parmi les plus créatifs et actifs peintres au mur de Berlin. Cet artiste des graffiti était le premier à utiliser toute la surface du mur - la couronne épaisse inclue - pour faire naître ses peintures impressionantes, engendrant ainsi grâce à la forme, les couleurs et les dimensions de ses oeuvres les accusations les plus puissantes exprimées dans une protestation pacifique et néanmoins efficace.

Charles und Terry

Ich glaube, ich träume sprühte ein offenbar beim ersten Anblick der Gemäldegalerie am Lethaniendamm überwältigter Graffiti-Begeisterter unter die Bilder der beiden französischen Künstler *Charles Boucher* und *Terry Noir*, die jahrelang in der verlassenen Kirche direkt vor ihrer *längsten Leinwand der Welt* hausten, ihre Kreationen bewachten und immer wieder neue Ideen verwirklichten.

Dieser Bilderreigen war Höhepunkt und gleichzeitig Ende des Versuches vieler jugendlicher Künstler, die einmalige Chance der Berliner Mauer für ihre atemraubenden Werke zu nutzen und mit ihnen das verhaßte Bauwerk des Jahrhunderts zu überwinden.

Charles and Terry

I am only dreaming, this expression of mere enthusiasm at the first glance at the art gallery on Lethaniendamm was sprayed by a stunned graffiti fan below the pictures of the 2 French painters *Charles Boucher* and *Terry Noir* who for many years dwelled in the abandoned church directly in front of the world's longest canvas, both watching the art they created and constantly realizing new ideas.

This sequence of pictures crowned and at the same time terminated the attempts of many young artists to grasp this unique chance offered by the Wall for their breathtaking art thus defeating the hated construction of the century.

Charles et Terry

Ce n'est qu'un rêve, appliquait un exalté des graffiti évidemment bouleversé à la première vue de cette galerie de peinture au Lethaniendamm au-dessous des dessins des 2 artistes peintres *Charles Boucher* et *Terry Noir* qui vivaient pendant des années dans une église abandonnée située directement en face de la *toile la plus longue du monde* pour veiller sur leurs créations et pour réaliser toujours de nouvelles idées.

Cette ronde de peintures était en même temps l'apogée et la fin de la tentative d'un grand nombre de jeunes artistes qui profitaient de cette chance unique offerte par le mur de Berlin pour créer leurs oeuvres extraordinaires et ainsi triompher de cette construction détestée de notre siècle.

Charles Boucher (oben links) und *Terry Noir* waren Repräsentanten einer sich verloren glaubenden Generation, die die Technik der Graffiti-Kunst einsetzte, um ihre Vorstellungen, Überzeugungen, Gelüste und Ängste mit den Mitteln der Kreativität und des oberflächlich schrillen Ausdrucks zu kommunizieren und auf diese Weise überhaupt erst lebensfähig zu werden. Der hirnrissige Bau der Berliner Mauer so kurz vor dem endgültigen Ende einer schon von Beginn an gestorbenen Diktatur bot den optimalen Rahmen für diese Selbstdarstellung. Es ist nur folgerichtig – wenngleich aus unserer Sicht bedauerlich – daß nur die Bilder von den Bildern das Ende überlebten.

Charles Boucher (on the left) and Terry Noir were representative painters of a lost generation using the graffito technique to convey their ideas, convictions, desires and fears with creativity and a „language" which at the first glance seemed to be dazzling. Their life was only viable thanks to the optimum setting offered by the crazy Berlin Wall built on the edge of the definite end of a dictatorial régime which right from birth was doomed to death. Although we believe it's a pity - it is more than consistent that only the pictures taken of the pictures have survived.

Charles Boucher (ci-dessus à gauche) et *Terry Noir* représentaient une génération égarée qui utilisaient la technique des graffiti pour communiquer leurs idées, convictions, désirs et angoisses par leur créativité et l'expression à première vue „criarde" pour en prendre la force de vie. Cette construction de fou réalisée peu de temps avant l'échec définitif d'un régime dictateur qui avait été condamnée à mort à la naissance constituait le cadre optimal pour se présenter. Quoique à notre avis déplorable - il n'est que logique que seules les photographies des tableaux ont survécu.

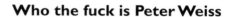 ### Who the fuck is Peter Weiss

Der Potsdamer Platz war in diesem Jahrhundert immer ein Zentrum des Berliner Lebens. Wohl nicht zufällig trennte er nach dem Krieg Ost- von West-Berlin. Die Berliner Mauer lief mitten hindurch und wurde gerade an dieser Stelle ein begehrtes Touristenziel. Wen wundert es, daß auch die Graffiti-Maler sich der Mauer gerade an dieser Stelle besonders chaotisch und skuril bedienten. Angesichts der aus dem Osten herübergrüßenden – früher nationalsozialistischen – Regierungsgebäude entwickelte die Graffiti-Generation hier ein besonders hohes Maß an Kreativität und Absurdität. Allen voran präsentierte *Peter Weiss* ein buntes Bild seiner faszinierenden Fantasie.

 ### Who the fuck is Peter Weiss

In our century, Potsdam Square has always been a centre of Berlin life. It was not purely by chance that this place separated East and West Berlin in the postwar period. The Berlin Wall run right through its centre, the spot becoming a famous destination for tourists. No wonder that graffito right there was particularly chaotic and crazy. Glancing at the governmental buildings - once used by the Nazis - hailing from East Berlin excited an extraordinary power of creativity and absurdity in the graffiti generation. Peter Weiss was the leading painter presenting a bright picture of fascinating fancy.

 ### Diable, qui est Peter Weiss

Dans notre siècle, la Place de Potsdam était toujours le centre de vie à Berlin. Sans doute ce n'était pas par pur hasard que cette place constituait la ligne de séparation après-guerre entre Berlin-Est et Berlin-Ouest. Le mur de Berlin y passait au travers, et c'était bien là-bas qu'il devenait une destination fameuse pour les touristes. Quoi d'étonnant au fait que les peintres graffiti aussi utilisaient cet endroit de manière particulièrement chaotique et grotesque. C'était par-là, face aux bâtiments gouvernementaux saluant de l'Est jadis utilisés par les Nazis, que la génération des graffiti déployait tant de créativité et absurdité. Et en tête, *Peter Weiss* nous présentait le portrait décoré de sa fantaisie fascinante.

 ### Zum Ausklang

Die Berliner Mauer ist verschwunden. Wieder einmal zeigte sich die Vermessenheit, Dinge für die Ewigkeit zu planen. Nach wenig mehr als 28 Jahren verschwand die verhaßte Trennwand genauso überraschend und schnell wie sie erbaut worden war. Mit ihr löste sich auch die *längste Leinwand der Welt* — als die sie von vielen Künstlern aus aller Welt empfunden wurde — ins Nichts auf. Wirklich ins Nichts? Noch bleiben die Bilder von den Bildern und künden von den Visionen der Graffiti-Maler aus einer Zeit oft tiefer Depressionen. Wieder einmal war es der Kunst vorbehalten, schon lange vor der physischen Realität die Mauer mit ihren skurilen, ja oft chaotischen Werken in den Köpfen der Menschen aufzulösen und so die kommende Wirklichkeit vorwegzunehmen.

 ### Epilogue

The Berlin Wall vanished only leaving the proof that planning for eternity is presumptive. After hardly more than 28 years, this loathed Wall of separation disappeared as quickly and surprisingly as it had been built before. The Wall vanished into thin air leaving the blank where once had been the world's longest canvas - as it had been considered by many artists from all over the world. Is that true? We still have got the pictures of the paintings which witness the visions of graffiti painters in an era of deep depression. Once again, long before it physically vanished, art was able to erase the Wall from our mind thanks to the absurd and often chaotic works which anticipated future reality.

 ### Epilogue

Le mur de Berlin a disparu. Une fois de plus nous avons vu la présomption de faire de projets à tout jamais. Après un peu plus de 28 ans, cette cloison détestée a disparu aussi vite et à l'improviste qu'elle avait été construite. Avec la disparition du mur, la toile la plus longue du monde - comme il était estimé par bien d'artistes du monde entier - également a été anéantie. Mais est-ce qu'il nous n'en reste vraiment plus rien? Nous conserverons les photos des dessins lesquelles racontent des visions peintes des artistes graffiti dans une ère de forte dépression. Grâce aux oeuvres grotesques et souvent chaotiques, l'art a su de nouveau anticiper la réalité future en faisant disparaitre le mur dans nos têtes bien avant la disparition réelle.